6 这是我的书 It's MY BOOK

6级：300字

打碎玻璃之后

作者：程以克（Vicki Cheng）
插图：陶红亮（Hongliang Tao）

北京语言大学出版社
BEIJING LANGUAGE AND CULTURE UNIVERSITY PRESS

PHOENIX TREE
PHOENIX TREE PUBLISHING INC.

识　读 足球　自己　小心　点头

句　型 是……的
要……

字　数 292字

yì tiān yí gè nán hái hé péng you men tī zú qiú
一天，一个男孩和朋友们踢足球。
yí bù xiǎo xīn tā bǎ zú qiú tī dào le bié rén
一不小心，他把足球踢到了别人
jiā de chuāng hu shang pēng bō li suì le
家的窗户上。砰！玻璃碎了。

yí gè lǎo rén hěn shēng qì de pǎo chu lai dà shēng
一个老人很生气地跑出来，大声

zé wèn shén me rén gàn de péng you men dōu
责问："什么人干的？"朋友们都

xià pǎo le zhǐ yǒu zhè ge nán hái méi pǎo
吓跑了，只有这个男孩没跑。

tā zǒu dào lǎo rén miàn qián shuō duì bu qǐ shì
他走到老人面前说："对不起，是
wǒ bù xiǎo xīn dǎ suì de qǐng nín yuán liàng kě
我不小心打碎的，请您原谅！"可
shì lǎo rén shuō bù xíng nǐ yào péi wǒ chuāng
是老人说："不行！你要赔我窗
hu nán hái zháo jí de kū le
户！"男孩着急地哭了。

huí dào jiā nán hái bǎ zhè jiàn shì gào su le bà ba
回到家，男孩把这件事告诉了爸爸
mā ma bà ba shuō shì nǐ dǎ suì le rén jia de
妈妈。爸爸说：“是你打碎了人家的
bō li nǐ yào duì zì jǐ zuò de shì fù zé
玻璃，你要对自己做的事负责。”

bà ba ná chu qián shuō zhè shí èr diǎn wǔ měi yuán shì
爸爸拿出钱，说：“这 12.5 美元是
wǒ jiè gěi nǐ de yǐ hòu yào huán gěi wǒ nán
我借给你的，以后要还给我。”男
hái diǎn dian tóu ná qi qián pǎo dào lǎo rén jiā
孩点点头，拿起钱，跑到老人家，
bǎ qián huán gěi le tā
把钱还给了他。

hòu lái nán hái měi tiān fàng xué hòu jiù qù dǎ gōng
后来，男孩每天放学后就去打工
zhèng qián tā dào fàn diàn xǐ wǎn yǒu shí hái qù
挣钱。他到饭店洗碗，有时还去
sòng bào zhǐ shí lā jī jǐ gè yuè hòu tā bǎ
送报纸、拾垃圾。几个月后，他把
shí èr diǎn wǔ měi yuán huán gěi le bà ba
12.5 美元还给了爸爸。

hěn duō nián yǐ hòu zhè ge nán hái chéng le měi guó zǒng
很多年以后，这个男孩成了美国总

tǒng tā jiù shì lǐ gēn zǒng tǒng hòu lái lǐ gēn zǒng tǒng
统，他就是里根总统。后来里根总统

xiǎng qi zhè jiàn shì jiù shuō zhè shí èr diǎn wǔ měi yuán ràng
想起这件事就说：“这 12.5 美元让

wǒ xué huì le yào duì zì jǐ zuò de shì fù zé
我学会了要对自己做的事负责。”

1 一天，一个男孩和朋友们踢足球。一不小心，他把足球踢到了别人家的窗户上。砰！玻璃碎了。

2 一个老人很生气地跑出来，大声责问："什么人干的？"朋友们都吓跑了，只有这个男孩没跑。

3 他走到老人面前说："对不起，是我不小心打碎的，请您原谅！"可是老人说："不行！你要赔我窗户！"男孩着急地哭了。

4 回到家，男孩把这件事告诉了爸爸妈妈。爸爸说："是你打碎了人家的玻璃，你要对自己做的事负责。"

5 爸爸拿出钱，说："这 12.5 美元是我借给你的，以后要还给我。"男孩点点头，拿起钱，跑到老人家，把钱还给了他。

6 后来，男孩每天放学后就去打工挣钱。他到饭店洗碗，有时还去送报纸、拾垃圾。几个月后，他把 12.5 美元还给了爸爸。

7 很多年以后，这个男孩成了美国总统，他就是里根总统。后来里根总统想起这件事就说："这 12.5 美元让我学会了要对自己做的事负责。"

看图讲故事